EL MUNDO SEGÚN

YVESSAINTLAURENT

Patrick Mauriès
Jean-Christophe Napias

Diseño e ilustraciones de
Isabelle Chemin

BLUME

BLUME

Título original *The World According to Yves Saint Laurent*

Diseño e ilustraciones Isabelle Chemin
Traducción Remedios Diéguez Diéguez
Revisión de la edición en lengua española Estel Vilaseca Álvarez
Responsable del Área de Moda de LCI Barcelona
Coordinación de la edición en lengua española Cristina Rodríguez Fischer

Primera edición en lengua española 2023

I.S.B.N.: 978-84-19785-52-7
Depósito legal: B. 10667-2023
Impreso en China

WWW.BLUME.NET

Los autores desean dar las gracias a la Fundación Pierre Bergé-Yves Saint Laurent
y al Musée Yves Saint Laurent París por permitirles el acceso a sus archivos. Un agradecimiento especial
también a Madison Cox, presidente de la Fundación Pierre Bergé-Yves Saint Laurent, y al equipo del
Musée Yves Saint Laurent París: Elsa Janssen, Marie Delas, Alice Coulon-Saillard, Serena Bucalo-Mussely,
Judith Lamas y Domitille Eblé, por su valiosa colaboración durante la edición de este libro.

CONTENIDO

Prólogo de *Patrick Mauriès* 7

YSL según YSL (1) 13

La moda según YSL 25

El proceso creativo según YSL 37

El trabajo del diseñador según YSL 51

El estilo según YSL 63

La alta costura según YSL 71

La elegancia según YSL 83

La mujer según YSL 93

Las modelos según YSL 105

El color según YSL 113

Los accesorios según YSL 123

Vaqueros y esmoquin según YSL 131

Los diseñadores según YSL 141

Proust según YSL 153

YSL según YSL (2) 163

Fuentes 174

Autores 175

LAS TRES CARAS DE
YVES SAINT LAURENT

Al igual que en un célebre cuadro de Tiziano, en las páginas que siguen se esboza el retrato de un Yves Saint Laurent de tres caras: del tímido y resuelto *Wunderkind* de los años de Dior al creador soberano de la década de 1970 y el ser atormentado de perfil sombrío de las últimas décadas. Como en el cuadro de Tiziano, esos rostros ofrecen variadas expresiones del paso del tiempo y de los cambios que provoca, lo que borra o acentúa de esos rasgos que denominamos identidad.

En el caso de Saint Laurent, el primero de esos rasgos consiste en pertenecer a esa clase de modistas natos, esos seres marcados desde la infancia por un puñado de detalles fugaces (la pureza de un esmoquin, el roce de un vestido de satén, un par de zapatos rojos) que se graban a fuego en la memoria y alimentan después una pasión exclusiva, si no ciega, por la moda. No es casualidad que encontremos recuerdos de este tipo de «escenas primitivas» en creadores tan distintos entre sí como Christian Lacroix, Jean-Paul Gaultier o Karl Lagerfeld, por citar solo algunos de los nombres que, de un modo u otro, se acercan al de Saint Laurent.

Sin embargo, si se distingue del resto (utilizando una expresión de Proust con la que el propio diseñador se identifica) es por su pertenencia a la «familia de los nerviosos»: por una sensibilidad desbordada, una soledad esencial, el sentimiento de no haber vivido su juventud, el deseo imposible de recuperarla, en fin, que podría llevarle a cometer excesos terribles. Una fragilidad extrema que en una interpretación precipitada podría considerarse una señal de debilidad de carácter, pero que demuestra exactamente lo contrario: esa vulnerabilidad paralizadora no es más que la otra cara de la moneda, en una aparente paradoja, de una absoluta certeza de sí mismo, una voluntad de hierro, una rara capacidad de afirmarse, una «fe y una convicción inquebrantables» en lo que un adolescente Saint Laurent considera inmediatamente como su destino y que le permite resistir a la violencia y el acoso tan habituales entonces como hoy se denuncian («Mentalmente, me dirigía a mis compañeros de clase y les decía: me vengaré de vosotros, no seréis nada, yo lo seré todo»).

Otra fuente de tensión (que encontramos también en Chanel o Balenciaga) recorre la relación simbiótica de Saint Laurent con la moda: la que enfrenta la necesidad de cambio, del gusto por la novedad (que son motores de la profesión), a la maduración de un estilo (o una «elegancia» inmemorial); que impone a ese movimiento perpetuo unas determinadas constantes, cada vez más refinadas, y trasciende el tiempo para definir el espíritu, si no la obra, de un modista. La creación de Saint Laurent siempre acusa la tensión entre el imperativo categórico de la innovación y el deseo de profundizar, de rediseñar, de definir una fórmula definitiva en la medida de lo posible. Apreciaremos el contraste con el planteamiento de su eterno «amienemigo», Karl Lagerfeld, que durante toda su carrera se negó a echar la vista atrás a lo que había propuesto de una temporada para otra y a buscar una escritura propia: prefirió «prestarse» para diferentes «empleos», en el más amplio sentido de la palabra, y variar los códigos de las casas con las que se asociaba, alegando numerosas coartadas tras las que esconderse.

El paralelismo, o más bien el contrapunto entre los dos creadores, posee un enorme valor en la medida en que permite exponer, como en negativo, la visión de Yves Saint Laurent. Porque el concepto de la moda y el sentido del gusto, la manera de vivir y el entorno social, la definición del deseo y su práctica, todo enfrenta a los dos protagonistas: fuerza centrífuga frente a fuerza centrípeta, ciclotimia y negativa a ceder a ella, dominio del pasado y espanto del presente, nostalgia y voluntad de olvidar, tentación de correr riesgos y obsesión por la pérdida del control (y alta costura y espectáculo, habría añadido Saint Laurent, no sin altivez).

Una sola frase, una sola observación de Saint Laurent podría ser común para ambos, ya que Lagerfeld profesó con frecuencia el mismo credo: «En mi casa solo estoy bien con mis lápices y mis papeles». Sin embargo, lo que para uno no era más que un motivo añadido para retirarse, para el otro era el preludio de la socialización.

Ese sentimiento de contradicción esencial, de la necesidad de estar en contacto con el presente sin dejar de resultarle totalmente ajeno, dibuja una especie de línea fundamental continua en la vida de Saint Laurent: reúne cada una de las caras de las que hablábamos al principio, lo que hace que la lucha contra el diablo que libró durante toda su vida y le permitió exaltar una feminidad suntuosa y nostálgica resulte más conmovedora si cabe.

Patrick Mauriès

YSL SEGÚN YSL
(1)

*Cuando tenía 14 años, jugaba a que tenía
mi propia casa de modas en la plaza Vendôme.
Escribía notas de clientes e inventaba nombres
para los vestidos que ponía a mis muñecas
de papel. Jugaba a ser un gran diseñador.*

*Siempre observaba a mi madre cuando
se preparaba para salir. Mi madre era
extraordinariamente guapa, con el pelo como
Rita Hayworth. Tenía un traje de satén rojo.
Unas piernas maravillosas. Zapatos rojos.
Mi padre llevaba un esmoquin. Son recuerdos
que me acompañarán siempre.*

*Mi infancia se niega a morir. Perdura en mí,
como un secreto.*

*La juventud es una enfermedad de la que no
nos recuperamos hasta muy tarde en la vida.
De hecho, algunas personas nunca lo consiguen.
Mueren a causa de ella.*

Sí, soy un niño mayor.

Tuve
una infancia
maravillosa.
Fui un niño
muy sensible
y muy feliz.

Más adelante lo seré menos.

El amor
es
el mejor
remedio
contra el
envejecimiento.

*Me rebelo a menudo. Me siento frustrado.
Nunca tuve y nunca tendré la oportunidad
de ser joven y despreocupado.*

★

*No presumo lo más mínimo de mi edad.
Veo la vida con los ojos de un niño, y por eso
no envejezco.*

★

*La juventud es egoísta. Envejecer significa
empezar a pensar en los demás.*

★

*Creo que solo existe un tipo de felicidad verdadera
en la Tierra. Consiste en olvidarse de uno mismo
y dedicarse a los demás. Cuando uno intenta
hacer felices a los demás, acaba recibiendo
de vuelta parte de esa felicidad.*

★

*La paz es una segunda juventud que se disfruta
en la vejez. Sin duda, es tan hermosa como la
juventud real. Es un lujo al alcance de todos,
la culminación de una vida y del trabajo de
toda una vida. Es lo contrario de un privilegio.*

Durante mi adolescencia, sentí dentro de mí el deseo ardiente de ir a París y apoderarme de la ciudad, de llegar a lo más alto. Miraba a mis compañeros de clase y pensaba: «Me vengaré de vosotros, no seréis nada, yo lo seré todo».

Creo que me he mantenido fiel al adolescente que mostró sus primeros bocetos a Christian Dior con una fe y una convicción inquebrantables. Nunca he perdido esa fe y esa convicción.

Cuando tenía 21 años, de repente me encontré encerrado en una especie de fortaleza construida por la fama. Se convertiría en una trampa en la que quedé atrapado el resto de mi vida.

Los que
me rodeaban
entendieron
enseguida
que yo
era

diferente.

Solo me siento
cómodo en casa
con mi perro,
mis lápices
y mis papeles.

*Nunca se está verdaderamente solo cuando
se vive entre sombras familiares.*

*La nostalgia es un sueño lúcido.
Soy un gran soñador.*

*La soledad. Es mi motor, pero también una
maldición.*

*Quiero a mis amigos, pero no los veo a menudo.
Pero, claro, hay que decir que la fama significa
soledad.*

*Lucho contra la soledad porque amo la vida.
¡Pero puede que la vida no me corresponda!*

¿Qué es la vida? Es un termómetro que tiene la alegría y la felicidad en la parte superior de la escala, y el dolor y el sufrimiento en la parte inferior. Y entre estos dos extremos oscila constantemente un corazón que lucha.

★

Hay que aprender a no pedir demasiado a la vida, a apreciar todo lo que nos da. Nuestros fracasos suelen venir de pedirle demasiado a la vida y no pedirnos lo suficiente a nosotros mismos.

★

La única fuente posible de sentido de la existencia humana es el arte. Es nuestra única esperanza para alcanzar la felicidad.

★

Mirar con atención cómo vivimos produce vértigo, pero al experimentar este vértigo alcanzamos un equilibrio perfecto.

★

Mi arma personal es mi capacidad de entender la época en la que vivo.

★

Básicamente, soy un hombre escandaloso.

¿CUÁL ES MI MAYOR DEFECTO?

Yo mismo.

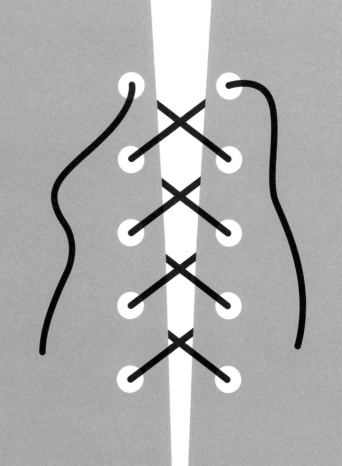

LA MODA SEGÚN YSL

LA MODA
cambia,
EL ESTILO
es eterno.
LA MODA
es efímera,
EL ESTILO
no.

*La vida moderna es ahora tan diferente,
todo ha cambiado tanto que las mujeres ya no
quieren transformarse ni lucir una silueta distinta
cada temporada, o incluso cada año. Creo que
la moda ha alcanzado un cierto equilibrio.*

★

*Para mí, en cualquier caso, la moda es un
cambio de actitud. Si nos fijamos en la moda de
todas las épocas, creo que se trata de un cambio
de actitud de las mujeres. Así que intento,
a mi humilde manera, cambiar la actitud
de las mujeres.*

★

*Es cruel: crear cosas que nunca volverán a verse,
que por su propia naturaleza desaparecerán. La
moda significa crear cosas que pasan de moda...*

★

*Con Chanel me di cuenta de que las cosas buenas
no pasan de moda.*

Me encanta la ropa, pero odio la moda.

★

¿La moda? Le damos demasiada importancia. Es exagerado.

★

En ocasiones me pregunto qué estoy haciendo, luchando. Es como montar un espectáculo disparatado, ¡lleno de horrores y muy poca moda!

★

La moda se ha convertido en una especie de circo.

★

En los últimos tiempos, la moda se ha convertido en un espectáculo. Hay escenarios, músicos, decorados, trucos, todo diseñado para asombrar, para impresionar más que otra cosa. Ya no tiene que ver con la costura, sino con el espectáculo. [...] De hecho, muchas veces el resultado final es que el espectáculo puede ser perfecto, pero el vestido es imposible de llevar. También significa que cada año se lanzan nombres como globos aerostáticos, y al año siguiente los globos han desaparecido.

La
moda
es
una
enfermedad
incurable.

La moda no cambia.
Intentamos hacer creer
a la gente que cambia,
aunque algunas modas
pueden trascender eso
y acercarse al reino del
arte y de la eternidad.

Pero solo algunas.

La moda es una especie de vitamina del estilo. Estimula, le pone a uno en marcha. Pero existe el riesgo de sobredosis. Puede destruir el equilibrio de la personalidad, y eso sirve tanto para el diseñador como para la mujer que viste sus prendas.

★

No veo el sentido de cambiar el diseño de una pieza de una temporada a otra si funciona perfectamente bien.

★

Existe un tipo de moda que nunca cambia, y después está la moda de la calle, en la que todo el mundo puede participar. Si mañana uno tiene una idea, puede convertirse en estilista y alcanzar el éxito, pero nunca podrá crear una verdadera prenda de vestir. No es para todo el mundo. Cualquiera puede crear moda, pero no mucha gente puede crear una verdadera prenda de vestir.

★

Las mujeres que siguen la moda demasiado de cerca corren un gran riesgo: el de perder su verdadera naturaleza, su estilo, su elegancia natural.

Se acabó la época de los dictadores. La moda ya no es solo cosa de ricos. Ya no se aferra a las diferencias de clase. La moda no puede aislarse de la vida, debe inspirarse en ideas nuevas y apasionantes. Nuestro objetivo consiste en atraer a las mujeres, emocionarlas, no simplemente vestirlas. Un diseñador de moda debe captar el espíritu de su tiempo. [...] Un diseñador de moda debe ser un libertador. Si nos interesamos por la juventud, es porque se ha convertido en una fuerza poderosa, una especie de culto dedicado a celebrarse a sí mismo. Y nosotros, los jóvenes diseñadores de moda, somos los líderes de ese culto.

En África, en Asia y en numerosos países eslavos, la ropa no cambia demasiado y las jóvenes casi siempre llevan los mismos vestidos que las mujeres mayores. Esto apoya mi teoría de que podemos llevar lo mismo en cualquier edad.

Cuando llegue la revolución, será impulsada por los jóvenes. Existe un conflicto irreversible entre las generaciones [...] Siempre es así en el mundo de la moda [...] cada veinticinco años cambian los cuerpos, cambian los gestos. Surgen cuerpos nuevos.

LA MODA ES UNA CELEBRACIÓN.

La moda es eternamente joven. Se mueve y se transforma al compás de los tiempos. Es el espejo que refleja el alma de una época. Florece y muere con ella para renacer con más fuerza, moviéndose al ritmo de la siguiente nueva era.

Existen dos tipos de moda: la que perdura, la que nunca pasa, como los pantalones, las gabardinas, las faldas, las blusas, etcétera, toda una gama de prendas cada vez más estandarizadas. En mi opinión, eso es lo que determina el estilo de un diseñador o de una época. Después hay un lado más divertido que llamamos moda, la verdadera moda, compuesta de bromas, detalles que pueden cambiar cada temporada o cada año. Es la fantasía.

Necesitamos diversión, frivolidad, humor, indulgencia, contradicciones. Necesitamos celebraciones. La moda debería ser una celebración, debería dar a la gente la oportunidad de jugar. De cambiar. De evadirse. Debería ayudar a suavizar este horrible y duro mundo gris en el que se ven obligados a vivir. Debería vestir sus sueños, sus escapadas, sus locuras.

EL PROCESO CREATIVO SEGÚN YSL

Cuando tomo un lápiz, no sé lo que voy a dibujar. Quiero decir que nunca hay nada planeado de antemano. Es el milagro del instante. Una línea. Empiezo por dibujar el rostro de una mujer y de repente sigue el vestido, la prenda se decide en mi mente, pero no es algo que haya pensado antes. Es creación en su estado más puro, sin planificación, sin una visión.

★

En una ocasión, diseñé una colección entera en 20 días. Veinte días de pura creación, de pura locura, y entonces, una medianoche, lo había terminado todo... A veces sufro, no tengo inspiración, y entonces algo estalla dentro de mí y es como si asistiese a mi propio renacimiento.

★

He aprendido a desconfiar de la inspiración, a evitarla como a la peste. Poco a poco me fui dando cuenta de que la costura no es un arte, sino un oficio. Su punto de partida y su objetivo están arraigados en algo concreto: el cuerpo femenino.

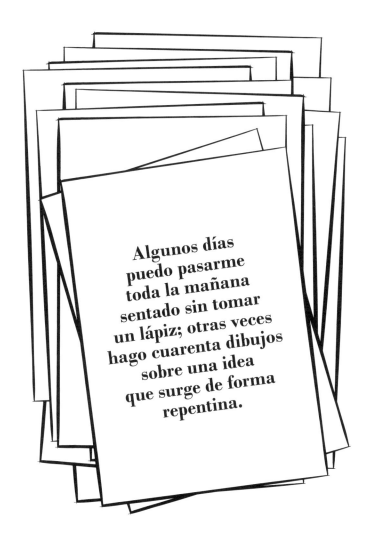

Algunos días
puedo pasarme
toda la mañana
sentado sin tomar
un lápiz; otras veces
hago cuarenta dibujos
sobre una idea
que surge de forma
repentina.

Desde
mi primera
colección,
la de la
línea Trapecio,
la ansiedad nunca
me ha abandonado.

*Crear moda con fecha de caducidad no
es divertido. Todos esos vestidos que mueren
un año después y, al mismo tiempo, todos
esos vestidos que hay que hacer. Es un osario y
una matriz. Me siento dividido entre la vida
y la muerte, entre el pasado y el futuro.*

★

*Es preciso cuestionarse todas las suposiciones. En
la moda, uno no puede permitirse equivocarse.
No puede permitirse el lujo de tener razón dentro
de tres o cuatro años. Hay que estar siempre
en contacto con el mundo exterior. Esperamos
que los diseñadores sientan todo lo que pasa
a su alrededor y todo lo que va a pasar, y que
lo trasladen a sus diseños. Yo me hice mi propia
soga para ahorcarme.*

★

*Tengo que decir que cuando diseño, cuando
creo ropa, me siento fatal. Hay un miedo
constante, infundado pero abrumador.
Mi exacerbada sensibilidad es lo que me
ha dado este maravilloso poder para crear,
pero al mismo tiempo me corroe.*

No creo para nada en los creativos felices.
El acto de crear es un intento desesperado de
comunicar algo que no se puede expresar a través
de otro lenguaje.

★

Lo único que puedo decir es que nunca dejaré
de crear. Es mi razón de vivir.

★

No hay creatividad sin dolor. Es algo feliz,
pero el proceso para llegar a ella es muy doloroso.
Solo hay felicidad cuando se llega al final.

★

Querer ser un creador significa sumergirse
voluntariamente en las profundidades del dolor.
Es cierto que hay momentos extraordinarios. Es
la felicidad que se siente cuando la vida corre
por las venas.

Mi
oficio
es el
pilar
de mi
vida.

Las calles y y♥, una verdadera historia de amor.

*Creo que la naturaleza me ha dado un don,
el don de entender qué desean las mujeres
en cada momento. No necesito salir, ni viajar,
ni buscar distracciones para poner en marcha
mi inspiración. Siempre he dicho que tengo
antenas y que lo único que necesito es abrir
la ventana de mi habitación cada mañana
y respirar el aire parisino.*

*Mi mayor fuente de inspiración es observar lo
que ocurre en el mundo desde un punto de vista
artístico, literario o político, o simplemente ver
pasar a las mujeres por la calle. Es una fuente
de inspiración muy importante para mí, porque
es la vida misma, y la moda es un reflejo de
la vida cotidiana.*

*Es importante que también haya fealdad
en las calles.*

Vivo en mi cabeza, no en el mundo. Antes salía mucho, bailaba toda la noche, tenía un coche veloz, como Sagan, pero eso se acabó. Disfrutaba de esa existencia frenética, pero ya no forma parte de mí. Ahora mi alma está unida a mi arte. Vivo únicamente a través de él y para él, y encuentro que las grandes ocasiones me inspiran menos que la belleza pura.

★

Soy muy, muy solitario. Utilizo mi imaginación para viajar a tierras que nunca he visitado. En la vida real odio viajar. Por ejemplo, si leo un libro sobre el sudeste asiático, con fotografías, o sobre Egipto, donde nunca he estado, mi imaginación me lleva allí. Así es como hago mis viajes más bonitos.

★

Estoy convencido de que mi imaginación va más allá de los límites normales, que me lleva a lugares a los que no necesito ir. Mis viajes más hermosos no implican viajar a ninguna parte.

Al final, el viaje
más bonito es
el que haces
en tu propia
habitación.

**Como
mi obra está
en los museos,
es posible
que ahora
sea realmente
un artista...**

Yves Saint Laurent

*Todo arte está limitado por su medio
de expresión; el mío es la ropa.*

★

*El arte y la creatividad son las manifestaciones
de la divinidad dentro de la humanidad.
La búsqueda de la pureza.*

★

*Siempre he dado la máxima importancia al
respeto por este oficio, que no es exactamente un
arte, pero que necesita de un artista para existir.*

★

*Poner a trabajar mi imaginación es muy
importante para mí. Cuando vi* La joven de la
perla *de Vermeer imaginé el vestido que llevaría.
Y creo que es uno de los vestidos más bellos
que he creado.*

★

*¿Cómo podemos crear la belleza del futuro si
descuidamos la belleza del pasado y permitimos
que desaparezca?*

EL TRABAJO DEL DISEÑADOR SEGÚN YSL

No existe ninguna otra profesión en la que uno tenga que cuestionarse todo lo que creía saber dos veces al año. Antes de cada colección sufro terribles ataques de nervios, y «con razón». Desde que tenía 20 años, siento una responsabilidad abrumadora: si me equivoco, cientos de personas perderán su trabajo.

★

Montar una colección es un momento atroz. Siempre es una lucha, como si mi inspiración se hubiese secado para siempre. Y entonces, unas dos semanas antes del lanzamiento de la colección, se abren las compuertas. Es un momento de auténtica euforia.

Para mí, el proceso creativo
siempre ha sido doloroso. No en la
fase en la que se me ocurre la idea
o la esbozo, sino cuando tengo
que insuflar vida a una pieza de tela,
cuando solo tengo mis tijeras y mis
alfileres y todo parece plano, estúpido,
muerto. Siempre hay un momento
en el que quiero romperlo todo
y salir corriendo a vivir desnudo
en una isla desierta, en el que quiero
olvidar el significado mismo de
las palabras crepé, terciopelo,
satén y, lo peor de todo,

colección.

*Así es como
quiero que sean
mis colecciones:
un espectáculo.*

También quiero decir que mientras trabajo en una colección, me pertenece solo a mí, es sagrada. Pero en cuanto se la confío a otras personas, me siento frustrado, casi de manera violenta, como si me la hubiesen robado. Después me siento deprimido. A continuación, ese sentimiento empieza a desvanecerse. Luego llega el momento que más me gusta: alegría por haber dado algo al mundo, veo a mujeres con mi ropa y los vestidos cobran vida. Y la vida retoma su curso.

★

La gente no tiene ni idea de lo difícil que es crear vestidos. Pero ahora he madurado como diseñador. Es algo que uno siente de repente: algo que le pertenece solo a uno mismo, que nunca le abandonará. Es una sensación increíble.

★

Después de lanzar una colección, me siento agotado. Ha salido de mí y ya no queda nada. Lo han hecho mis manos, pero ahora es algo que la gente compra, que se pone, que puede tirar. Un libro, un cuadro, una canción o una escultura perduran, pero la moda... ¡Es tan frustrante saber que el trabajo no perdurará!

*Prefiero sorprender a la gente que aburrirla
repitiendo las mismas ideas.*

★

*Me resulta difícil explicar una colección porque
tengo la sensación de hacer siempre lo mismo.*

★

*A medida que avanzo en mi oficio, adquiero lo
que siempre he soñado, esa especie de flexibilidad
y soltura que al principio no tenía en absoluto.*

★

*Coser una manga, confeccionar una falda, todas
estas cosas que parecen tan sencillas, pero son
tan difíciles: así es como se sabe si alguien es un
verdadero modista...*

★

*El trampantojo es una parte importante del oficio
de la costura. Siempre me he guiado por él.*

★

*Hablar de revolución en la moda es obsoleto.
La verdadera revolución está en otra parte.
Es la revolución del espíritu la que dará forma
a la revolución de la moda.*

Para mí,
la vanguardia
es
el clasicismo.

La gente nos considera frívolos, pero nuestro trabajo es significativo y serio.

★

Todos mis vestidos se inspiran en un gesto. Un vestido que no refleja o no hace pensar en un gesto no es bueno. Una vez que se ha encontrado el gesto adecuado, se puede elegir el color, la forma, el tejido, no antes. En este trabajo nunca se deja de aprender el oficio.

★

La moda tiene que ser agradable, moderna y llena de fantasía. Pero es importante que el diseñador tenga conocimientos no solo de alta costura, sino también de historia y arte.

★

Creo que un diseñador que no sea también modista, que no haya aprendido los misterios más refinados de la creación física de sus diseños, es como un escultor que entrega sus dibujos a otra persona, un artesano, para que los realice. Para él, el hecho de no completar el proceso de creación siempre será como un acto de amor interrumpido, y su estilo cargará con esa vergüenza, con el empobrecimiento.

Para mí,
lo más hermoso
de la moda
es crear una prenda
con la sencillez y la
elegancia de una falda
y un jersey negros.
No son nada y lo son todo
al mismo tiempo.

Ese es nuestro trabajo:

PRECISIÓN,
MODESTIA,
SERIEDAD,
ATEMPORALIDAD.

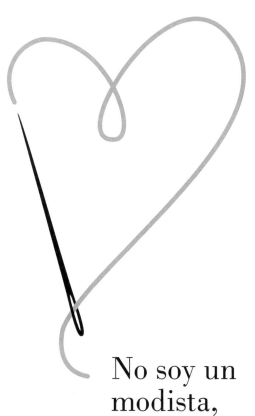

No soy un
modista,
sino un artesano.

Un fabricante
de felicidad.

Doy gracias al cielo por haberme convertido en el diseñador que soy.

★

Me parece que cuanto más sufro, más necesito hacer cosas alegres.

★

Esta es una carrera que causa mucho daño, pero que también da muchas alegrías.

★

He vivido para mi oficio y a través de mi oficio.

EL ESTILO SEGÚN YSL

ESTILO [es 'ti lo] n. m.

Para definir un estilo
con precisión (para
describir lo que veo,
lo que me interesa)
tengo que pensar
en todo, de la cabeza
a los pies.

Creo que lo más importante para un diseñador es tener un estilo propio y reconocible.

★

Sigo el mismo proceso que un pintor, un escultor, un arquitecto o un músico. Para un diseñador, este proceso creativo significa inventar una nueva moda, abrir nuevos caminos, como Chanel, Balenciaga o Dior; en pocas palabras, significa encontrar e imponer un estilo propio.

★

No basta con encontrar un estilo propio, hay que mantenerlo, refinarlo, insuflarle nueva vida. Ahora, por ejemplo, puedo diseñar un bléiser cuatro veces al año y hacerlo diferente cada vez. He pulido mi estilo a través de la perfección de estas prendas esenciales, me he convertido en lo que soy hoy. Y por eso mi trabajo trasciende la moda. Por eso también las mujeres pueden llevar vestidos míos que salieron hace mucho tiempo sin parecer que están pasados de moda.

★

La elegancia pertenece a quienes han ido en busca de su propio estilo. Tanto en la vida como en la moda.

Para mí, clásico significa eterno, atemporal.

★

Soy clásico de corazón y me gusta la disciplina.

★

Cuanto más sencilla es una prenda, más perfecta es.

★

La «novedad» no me interesa demasiado. Me critican por repetirme, pero eso es un malentendido: en realidad, cada año innovo, pero mantengo la misma línea.

★

Nada me parece más contrario al estilo que las revoluciones en la forma de vestir.

★

Solo el estilo permite ir más allá de la moda.

NO INTENTO REVOLUCIONAR LA MODA, SINO PERFECCIONAR UNA Y OTRA VEZ LA SILUETA IDEAL.

Tengo la impresión de
hacer siempre lo mismo
hacer siempre lo mismo
hacer siempre lo mismo
hacer siempre lo mismo
hacer siempre lo mismo
hacer siempre lo mismo

pero, en realidad,
no es así en absoluto.

¿Qué es lo más importante en la moda? Es el estilo. No cambio, profundizo. Los cortes cambian. Las modas cambian, pero el estilo perdura.

★

Mi verdadero estilo se inspira en la moda masculina. Por eso mi estilo es andrógino. Me di cuenta de que los hombres se sentían mucho más seguros con su ropa, y las mujeres no tanto. Así que intenté darles esa confianza, darles una silueta fuerte.

★

Del mismo modo que un artista encuentra su propio estilo, una mujer debe encontrar el suyo. Y cuando lo haya encontrado, sean cuales sean las tendencias del momento, poseerá un cierto poder de seducción.

★

El estilo es una silueta. Una línea. La moda es efímera, pero el estilo siempre permanece.

★

Mi tarea consiste en alcanzar el sentido más pleno de la pureza.

YvesSaintLaurent

haute couture

LA ALTA COSTURA SEGÚN YSL

ME GUSTA

TODO LO QUE ES SOFISTICADO.

ODIO

TODO LO QUE TIENE QUE VER CON LA RIQUEZA.

Para mí, la alta costura no es un laboratorio, como se suele decir, sino un ejercicio de estilo en el que se alcanza un nivel de perfección inalcanzable en la moda prêt-à-porter.

★

La alta costura es una amante de la que no puedo prescindir, y siento una responsabilidad hacia las personas que han hecho un éxito de mí y de mi casa de moda.

★

Es necesaria porque es una artesanía genuina, y es importante preservar la artesanía en una era de estandarización que se inclina cada vez más hacia la industrialización. También porque se trata del oficio del lujo y la originalidad frente a la uniformidad. En el fondo de cada uno de nosotros existe la necesidad de destacar.

★

La alta costura es la cumbre de este oficio. Si uno ama la moda, es en la alta costura donde se puede alcanzar la forma más elevada de perfección. Es tan importante para mí que nunca le daré la espalda.

La alta costura es lujo y elegancia; el prêt-à-porter *es la vida. Ha aportado una inyección de juventud a mis colecciones, mientras que la alta costura añade un toque de refinamiento.*

Mientras pueda, haré prendas prácticas para el mercado de prêt-à-porter *y creaciones de ensueño para la alta costura.*

La alta costura consiste en cuidar hasta el último detalle. Pensar en lo que les quedará y no les quedará bien a las mujeres es prêt-à-porter.

La alta costura ya no es influyente. Lo que es influyente ahora es la moda que cualquiera puede comprar inmediatamente.

Creo que la moda prêt-à-porter *es el futuro, porque el futuro está lleno de esperanza, de novedad.*

Decidí expresar mi identidad como diseñador a través de mis colecciones de *prêt-à-porter* más que a través de la alta costura... Creo que el *prêt-à-porter* es la encarnación de la moda de hoy. Es ahí donde reside su verdadera esencia, no en la alta costura.

En 1966 fui el primer modista del mundo que abrió una tienda de prêt-à-porter. *Al diseñar ropa sin referencia a la alta costura, sé que hice avanzar la moda de mi época y permití que las mujeres tuviesen acceso a un mundo que hasta entonces les estaba vedado.*

★

Lo que realmente me gustaría es ser una cadena como Prisunic y hacer vestidos mucho menos caros para que todo el mundo pueda llevarlos, que cualquiera pueda permitirse comprarlos.

★

Hace mucho tiempo que estoy convencido de que el objetivo de la moda no es solo hacer que las mujeres estén guapas, sino también darles seguridad, confianza, permitirles sentirse cómodas en su propia piel. Siempre me he opuesto a los delirios de grandeza de algunos diseñadores que utilizan la moda para alimentar su propio ego. Por el contrario, siempre he querido estar al servicio de las mujeres. Servirlas. Servir a sus cuerpos, sus gestos, sus actitudes, sus vidas. Quería caminar junto a ellas a través de esta gran ola de liberación que hemos vivido en el último siglo.

POR ESO ABRÍ

UNA TIENDA,

**PARA DEJAR DE
SER SOLO UN GRAN
DISEÑADOR DE ALTA COSTURA.**

rive gauche

Estoy convencido de que estamos al borde de un cambio sísmico en nuestro modo de vida, tan revolucionario como los cambios que se propusieron en la primera exposición Art Déco.

¡Abajo el Ritz,

abajo la luna,

viva la calle!

*La gente tiene que cambiar de vida,
de mentalidad y de forma de ser antes de
cambiar de ropa.*

*Creo que, aunque durante un breve tiempo la
gente quiso mezclarse con la multitud, perderse
en el anonimato de un uniforme, ahora quiere
destacar, vestirse para un papel como si se
tratase de celebridades. Y quieren resaltar su
«género». Los chicos quieren dejarse barba y las
chicas quieren expresar su feminidad intrínseca.*

*No estoy seguro del aspecto exacto que tendría
un nuevo tipo de moda, ni de lo que podría
y no podría conseguir con ella, porque eso
significaría abandonar todo lo que he hecho
hasta ahora y empezar de nuevo. Tengo una
premonición en la que aparece una especie
de puerta enorme que se abre al mundo del
prêt-à-porter, que será el futuro de la moda, y
que podría transformarla en algo sorprendente,
radicalmente distinto y gigantesco.*

*La alta costura es una disciplina, pero también
es un susurro que se transmite y se repite,
nos susurramos nuestros secretos: los elegantes
toques finales y la forma de entender el corte.
Es entonces cuando la alta costura se convierte
en una expresión artística; esta sofisticación
es la que le ha valido a Francia su
prestigio y su reputación con respecto al estilo.
Independientemente de lo que haga en otros
lugares, un modista debe consagrarse en
París. De lo contrario, desaparecerá.*

★

*Cuando desaparezca la alta costura, será el fin
del último gran oficio.*

★

*Yo soy el último gran modista, la alta costura
acabará cuando yo desaparezca.*

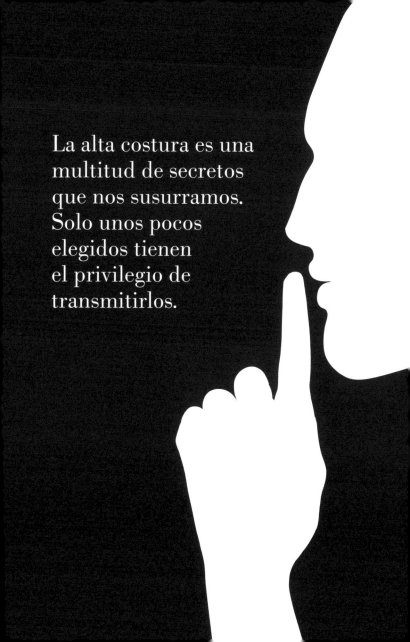

La alta costura es una
multitud de secretos
que nos susurramos.
Solo unos pocos
elegidos tienen
el privilegio de
transmitirlos.

LA
ELEGANCIA
SEGÚN
YSL

Pertenezco a una generación y a un mundo entregados a la elegancia, crecí en un entorno que otorgaba una gran importancia a las tradiciones. Sin embargo, al mismo tiempo quería cambiar todo eso porque me sentía dividido entre el encanto del pasado y el futuro que me impulsaba hacia adelante. Me siento dividido en dos y creo que siempre me sentiré así. Porque conozco un mundo y siento la presencia del otro.

Hoy en día, una mujer bien vestida es aquella que sabe adaptar su ropa a su personalidad. ¿La mujer más elegante que conozco? Coco Chanel.

La elegancia significa olvidarse por completo de lo que llevas puesto. Existen mil definiciones, mil interpretaciones posibles. Por encima de todo, lo que cuenta es el carácter de la persona. La elegancia de sus gestos, de su corazón, no tiene nada que ver con llevar ropa cara. Qué terrible sería si solo se tratase de eso.

La elegancia es una forma de moverse. Es saber adaptarse a todas las circunstancias de la vida.

¿Qué es la

elegancia?

Tengo un montón de definiciones.
Si tuviese que resumir, tal vez
diría que ante todo es

un arte
de vivir,

una manera de moverse por
la vida, física y moralmente.

Pienso que
la palabra

elegante

se ha sustituido
por la palabra

seductor.

Hoy,
queremos ser

seductores

antes que

elegantes.

*La elegancia ha cambiado y la seducción
ha ocupado su lugar.*

★

*No me gusta la palabra «elegante». Me parece
tan anticuada como la expresión «alta costura».*

★

*No soy yo quien ha cambiado. El mundo ha
cambiado. Nunca dejará de cambiar, así que
estamos condenados a reajustar una y otra
vez nuestras formas de ver, de sentir, de juzgar.
La certeza, la paz, la conciencia tranquila,
todo eso se acabó. Y la elegancia también
ha desaparecido. ¿Por qué un grupo de ancianos
de barba gris se siente con derecho a decretar,
en nombre de la elegancia, que algo es bueno
o está mal?*

La seducción: quererte un poco te hace mucho más atractivo. El maquillaje más bonito que puede llevar una mujer es la pasión.

★

El engaño forma parte de la seducción. Una mujer resulta más interesante, y por tanto más seductora, cuando utiliza un poco de artificio.

★

Un vestido cumple su función cuando se vuelve invisible de alguna manera [...] cuando ya no se ve nada más que a la mujer que lo lleva.

★

Creo que las dos mejores armas de las mujeres en el juego de la seducción son el encanto y el misterio.

Lo que cuenta,
es
la seducción,

EL
IMPACTO.

Lo que sentimos,
lo que percibimos.
Es puramente subjetivo.
Personalmente,
soy más sensible
a los gestos que al
aspecto, a la silueta
o a cualquier otra cosa.

CUANDO UNO SE SIENTE BIEN CON UNA
PRENDA DE VESTIR, PUEDE OCURRIR
CUALQUIER COSA. UNA BUENA PRENDA ES UN

PASAPORTE

A LA
FELICIDAD.

Una mujer que todavía no ha encontrado su estilo, que no se siente cómoda con su ropa, que no vive en armonía con ella, es una mujer enferma. No es feliz, no está segura de sí misma y no posee ninguna de las características necesarias para ser feliz. Hablamos del silencio de la salud, el maravilloso silencio de la salud. También podríamos hablar del silencio de la ropa, el maravilloso silencio de la ropa, es decir, el momento en el que el cuerpo y la ropa se convierten en uno, cuando uno se olvida por completo de lo que lleva puesto, cuando la ropa no le habla, no se pega a uno mismo, cuando uno se siente tan cómodo vestido como desnudo. Esta armonía perfecta entre el cuerpo y la ropa rara vez se consigue sin una armonía perfecta entre la mente y el cuerpo, entre la ropa y la mente. ¿No significa la elegancia olvidarse por completo de lo que se lleva puesto?

No es fácil encontrar el estilo propio, pero una vez que se ha encontrado, no existe mayor felicidad. Significa seguridad en uno mismo para toda la vida.

LA MUJER
SEGÚN
YSL

Siempre me he fijado en la mujer a la hora de desarrollar mi estilo. Lo que le da su vitalidad y su fuerza es el hecho de que me baso en el cuerpo de la mujer, en sus movimientos, en su constitución.

Creo que he hecho todo lo que he podido por la emancipación femenina.

Diseñé una base de prendas a las que he regresado una y otra vez en mis colecciones de los últimos veinte años: el bléiser, el chaquetón, el jersey de rayas, el chubasquero, el traje pantalón, la blusa, la sahariana y el esmoquin, que permiten a las mujeres sentirse en todo momento tan cómodas como los hombres.

Mi sueño es ofrecer a las mujeres las prendas básicas que componen un armario clásico, no para complacer tendencias pasajeras, sino para darles más confianza en ellas mismas. Espero que mi ropa las haga más felices.

Yo inventé a
la mujer moderna.
Yo he inventado
su pasado
y le he ofrecido
su futuro.

Nunca diseño abstracciones, solo prendas que viven en una mujer. Lo importante es el cuerpo: adoro el cuerpo de la mujer.

★

No soporto la idea de tratar a las mujeres como si no fuesen mujeres, como si el diseñador fuese más importante que los vestidos. Eso demuestra una absoluta falta de respeto.

★

Me encantan todos los tejidos que muestran la forma femenina. Me encantan los tejidos que se mueven con el cuerpo. Me encanta poder ver a través del tejido, poder distinguir la forma del cuerpo de una mujer. Porque lo más importante en la costura, en la moda, es el cuerpo que se viste, la mujer a la que uno viste, no las ideas que uno pueda tener.

★

Lo más hermoso que puede llevar puesto una mujer son los brazos del hombre al que ama. Pero para aquellas mujeres que no tienen la suerte de encontrar esa felicidad, aquí estoy yo.

Un vestido no es una
pieza de «arquitectura»,
es una casa: no está
hecho para ser observado,
sino para vivir en él,
y la mujer que vive
en él debe sentirse
bella y feliz. Todo lo
demás es pura fantasía.

No busco
en absoluto

UNA

mujer ideal,
sino

VARIAS

mujeres
ideales.

Es importante pensar en distintos tipos
de mujeres a la hora de crear para lograr
la universalidad de la línea, del estilo.

Quiero hacer de espejo de nuestra época, mostrar
a las mujeres qué aspecto tienen. La época en
la que las mujeres cambiaban todo su vestuario
cada seis meses ha pasado. Ahora la ropa
de mujer nunca pasa de moda, y cuando veo
a mujeres que combinan antiguos diseños míos
con prendas que acabo de lanzar, me gusta
mucho. Las mujeres están cada vez más
liberadas, y no deberíamos tratar de limitarlas.

Para mí, la mujer ideal es internacional,
s decir, todas las mujeres combinadas
en una [...] Resulta difícil combinar a todas
las mujeres en una sola.

Vestir el cuerpo desnudo de una mujer sin coartar su libertad natural de movimiento, ese es mi trabajo. Es un delicado diálogo entre esa mujer desnuda y todos los encantos mágicos de estas piezas de tela.

★

Para que una mujer sea fácil de vestir, debe tener cuello, hombros y piernas. Del resto me encargo yo. Las prendas cuelgan, descansan en los hombros. Tienen que ser cuadrados y angulosos.

★

No creo que la mujer contemporánea sea una mujer con curvas. La mujer de hoy tiene huesos, es todo piel y huesos. En el siglo XIX, la mujer ideal estaba hecha de curvas. Ahora las curvas se han acabado. Ese era el territorio de Renoir.

★

Siempre es el cuerpo femenino el que sale victorioso. Y yo me escondo detrás de él, borro todo rastro de mí para no traicionar la verdad de mi trabajo, la profunda verdad de lo humildes que son mis ideas frente a la realidad del cuerpo femenino.

*No hay
nada más
hermoso que
un cuerpo
desnudo.*

¿Por qué

me preguntan
siempre por las mujeres?

¿Porque soy
modista?

Adoro a las mujeres. Tal vez sea por mi madre, o por mi educación. Me encanta seducir a las mujeres y prefiero su compañía a la de los hombres.

★

Para un modista es muy importante rodearse de amigas bellas.

★

Creo que he creado el vestuario de la mujer contemporánea, que he ayudado a dar forma a la época en la que vivo. Lo he hecho a través de la ropa, lo que sin duda es menos importante que la música, la arquitectura, la pintura o muchas otras formas de arte, pero en cualquier caso lo he hecho.

★

Hay mujeres que han transformado por completo mi visión de la moda.

★

Quiero dar las gracias a las mujeres que han llevado mis prendas, las famosas y las anónimas, que me han sido tan fieles y me han dado tantas alegrías.

★

Mi vida es una historia de amor con las mujeres.

LAS MODELOS SEGÚN YSL

Siempre me han interesado los vestidos de mujer. Cuando era pequeño, jugaba con unas figuritas a las que llamaba «mis muñecas» y me divertía vistiéndolas. Después las ponía a actuar en un viejo decorado de marionetas que tenía en el desván. Todavía hoy relaciono la moda con el teatro. Hay un elemento de interpretación en la alta costura porque las modelos que desfilan por la pasarela tienen que seguir una coreografía, como en un ballet.

Cada una de mis modelos representa un tipo de mujer ideal para mí.

Lo que
me inspira,
es la

BELLEZA.

No la belleza
de los

vestidos,

sino la

BELLEZA

de las modelos
con los

vestidos.

Para mí, una prenda tiene que cobrar vida,

y necesito un cuerpo femenino para mostrar cómo encajará en el día a día.

*Necesito tener un cuerpo femenino delante
de mí. Necesito ver su actitud, su elegancia.
Para construir una prenda, me baso en sus
movimientos, en la estructura de su cuerpo.
Eso es lo que le da vitalidad y fuerza. Trabajo
con dos o tres modelos para crear la colección
y después los vestidos se prueban en otras
modelos que participan en una fase posterior.*

*Mis modelos desempeñan un papel único porque
representan distintos tipos de mujer, y me inspiro
mucho en sus cuerpos, sus movimientos, sus
gestos. A veces se me ocurre una idea para una
prenda simplemente por la forma en que
una mujer, una modelo, toca la tela. Es un poco
como en la plaza de toros: la modelo es el toro
y el diseñador es el torero.*

*Existe una profunda afinidad entre mis modelos y
yo, y entre cada modelo y la ropa que lleva, porque
hay ciertas prendas que el cuerpo de una modelo
rechaza de manera espontánea, es decir, que no le
sientan bien. A veces se las pongo a otras modelos
a las que les sientan mejor, y a veces son piezas
desacertadas que no sientan bien a nadie.*

Adoro a mis modelos. Hay cariño en la forma en que trabajamos juntos. Todo lo que llevan, todo lo que son, viene de mí. Al principio, cuando empiezo a trabajar en una colección, están nerviosas, pero las tranquilizo y se relajan, y entonces estamos contentos. Con los hombres no podría alimentar ese tipo de vínculo milagroso.

★

La gente no tiene ni idea del vínculo personal tácito que se crea entre un diseñador y una modelo. Las modelos perciben cuándo se pone en marcha mi imaginación, están orgullosas de que su cuerpo, sus gestos, su aspecto despierten en mí ese instinto creativo.

La elección de la modelo
es muy importante para mí.
Envuelvo su cuerpo con
la tela y, de repente, se me
ocurre una idea. Hablo muy poco
con ellas, pero las quiero de
verdad: todas están enamoradas
de mí.

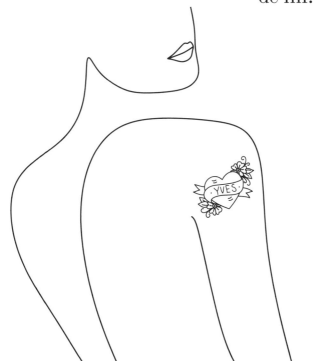

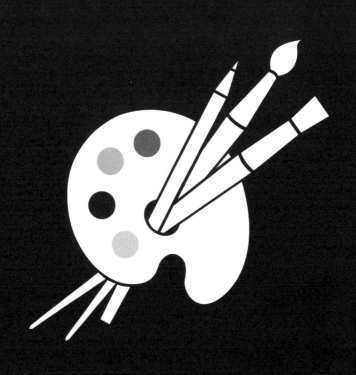

EL COLOR SEGÚN YSL

Diseñé mi primer vestido para mi madre.
Era un vestido de cóctel de organza negra.
Ya me encantaba el negro.

★

El negro fue la esencia de mis primeras
colecciones. Largas líneas negras que
simbolizaban trazos de lápiz sobre una página
blanca: la silueta en su forma más pura.

★

Para mí, el negro es un refugio porque expresa
lo que quiero. Todo se vuelve mucho más sencillo,
más lineal, más dramático.

★

Me gusta el negro porque es definido, crea un
contorno, un estilo claro: una mujer con un vestido
negro es como un trazo de lápiz.

★

Una mujer nunca está más bella que cuando
lleva una falda y un jersey negros y va del brazo
del hombre al que ama.

HE HECHO DEL NEGRO

Vuelvo una y otra vez a la idea de un velo negro de gasa o tul. Crea un aire de misterio [...] El misterio de una mujer que queremos desvelar retirándole el velo.

★

Me encanta el negro, es mi color favorito. Creo que una página blanca es muy aburrida, y sin negro no hay trazos de lápiz, por lo que no hay ninguna línea. Por eso suelo vestir a las mujeres de negro, porque me gusta que parezcan dibujos, bocetos.

★

El negro es sinónimo de línea. Y la línea es lo más importante. Es lo que define el estilo.

★

Es un color maravilloso. Permite crear una pureza de líneas que no se puede conseguir con ningún otro color.

UN COLOR.

Antes me expresaba sobre todo
con el negro, me daba miedo
el color. No sabía cómo utilizarlo
(o creía que no sabía). Siendo
todavía muy joven, al principio
de mi carrera, fui a Marruecos,
y a Marrakech en particular:
a partir de entonces empecé a
utilizar el color en mi trabajo.
Fueron los colores de Marruecos
los que me abrieron ese mundo.

EL COLOR SEGÚN YSL

*Tardé mucho tiempo en sentirme cómodo con
el color.*

★

*De repente, me di cuenta de que los vestidos ya
no debían estar hechos de líneas, sino de colores.
Me di cuenta de que ya no debíamos pensar
en una prenda de vestir como en una escultura
y que, en cambio, debíamos verla como un
móvil infantil. Me di cuenta de que hasta
entonces la moda había estado paralizada
y que había que ponerla en movimiento.*

★

*Orán [...] una ciudad resplandeciente, un mosaico
de mil colores bajo el cálido sol del norte de África.*

★

*En todas las esquinas de Marrakech uno se
cruza con grupos de hombres y mujeres vestidos
con colores intensos y llamativos, un revoltijo
de caftanes rosas, azules, verdes y morados.
Se podría pensar que esos grupos han sido
dibujados o pintados, recuerdan a los bocetos
de Delacroix, pero es asombroso pensar que, en
realidad, se forman mediante las improvisaciones
fortuitas de la vida.*

Después del negro, mi color favorito es el rosa.

★

*El rosa. Es un color precioso porque evoca
la infancia.*

★

*Ese reflejo del cielo y el sol en el espejo, me
gustaría convertirlo en un vestido de noche.*

★

*Me encanta el dorado, un color mágico
para el reflejo de una mujer, el color del sol.*

★

*Me encanta el rojo, agresivo y salvaje, y el beis,
el color del desierto.*

★

*El dorado, porque es puro y fluye como un
líquido, y se amolda al cuerpo hasta que
este se convierte en nada más que una línea.*

El rojo
es la base del maquillaje,
los labios y las uñas.

El rojo
es un color noble,
el color de una piedra preciosa
(el rubí), y es un color peligroso,
a veces hay que jugar con fuego.

El rojo
es un color religioso,
representa la sangre, y es regio,
representa a Fedra y a toda
una serie de heroínas míticas.

**El rojo simboliza
el fuego,**
y
**la lucha,
el rojo**
es como una batalla
entre la vida y la muerte.

Matisse me convenció
de los méritos del
color, porque,
al principio,
solo confiaba
en el negro.

*Para mi trabajo, como para un pintor, la luz
es crucial.*

★

*Los vestidos de Velázquez, por ejemplo,
son como océanos. Admiro los blancos ricos
y complejos de Manet.*

★

*La obra de Picasso es pura genialidad. Rebosa
vida y verdad. Picasso no trata de la pureza.
Su obra es barroca. Tiene muchas corrientes,
muchas vertientes, toca muchos palos.*

★

*En cuanto a los colores, me inspiré mucho en
Braque y Matisse. Cuando diseño una colección,
llegan todos los tejidos, se colocan las sedas
delante de mí, y de repente veo un color,
me parece maravilloso, lo elijo y hago un
vestido.*

★

*La obra de Mondrian trata de la pureza, y es el
culmen de la pureza en la pintura. Su obra tiene
la misma pureza que la Bauhaus. La mayor
obra maestra del siglo XX es un Mondrian.*

LOS ACCESORIOS SEGÚN YSL

En mi opinión, los accesorios hacen que una prenda se convierta en un conjunto coherente, y al mismo tiempo garantizan una cualidad de ser único.

La elegancia no es solo cuestión de ropa, ni de riqueza, obviamente. Se trata del gesto, del encanto, una naturalidad que de repente confiere cierta arrogancia. Por ejemplo, una mujer que lleva un cinturón de azabache y pedrería con una falda y un jersey negros, un pañuelo de gasa negra al cuello, muchas pulseras, medias negras y zapatos negros, es para mí el colmo de la elegancia. Vestida así, una mujer se siente cómoda con su ropa, y su arrogancia procede de sus accesorios y sus joyas inusuales. Una mujer sin personalidad está perdida, tiene miedo de la moda, es incapaz de encontrar su propio estilo.

Nunca se insistirá lo
suficiente en la importancia
de los accesorios.
Transforman un vestido.
Me gusta combinar un
vestido sencillo con
un accesorio extravagante.

Me gustan los botones dorados.

Creo que son la

joya de día

de una mujer.

Los accesorios transforman a una mujer,
a un vestido. Me gustan las pulseras
(por ejemplo, las africanas o los brazaletes
de oro cretenses), los collares de oro, el coral,
el jade, los cinturones negros de charol, las
medias negras, los pañuelos de gasa, las cintas
y los zapatos de tacón. Un zapato negro clásico
de piel de serpiente puede ser la base de todo
un conjunto. Y me gustan las perlas.

Sin piedras preciosas, sin colores, sin
lentejuelas. Solo oro, o preferiblemente dorado,
porque solo me gusta la bisutería. Para mí,
un cinturón es una joya, no algo para ceñir
la cintura.

Cuando utilizo accesorios, pienso en Ingres
y Delacroix. Me imagino el vestido que llevaría
La joven de la perla *de Vermeer, porque en el*
museo de Ámsterdam solo se ve el busto.

Lo que envejece a una mujer no son sus arrugas ni su pelo blanco, sino su forma de moverse. Ahí es donde los accesorios desempeñan un papel importante.

★

Mis accesorios son movimientos. Un pañuelo con el que se pueda jugar, un bolso con una correa que deje las manos libres (no hay nada más feo que un bolso sujeto con una mano). Un cinturón flexible (un cinturón de cadena, siempre) que haga que las caderas de la mujer se balanceen de forma atractiva, y bolsillos. Los bolsillos son muy importantes. Pongamos por ejemplo a dos mujeres con un vestido largo de tubo. La que lleve bolsillos se sentirá inmediatamente superior a la que no los lleva.

★

Me gustan los movimientos que hace una mujer cuando juega con sus guantes.

★

Cada mujer imprime a su ropa una personalidad distinta según los accesorios que utilice.

LOS
GUANTES,
como
las joyas,
son una fuente
de auténticas
PASIONES.

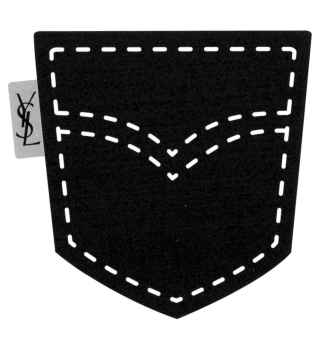

VAQUEROS Y ESMOQUIN SEGÚN YSL

No tengo ningún miedo a los vaqueros. Me parecen una prenda maravillosa. Son algo así como la ropa de nuestro tiempo.

★

Los beatniks *nos mostraron la elegancia de unos vaqueros.*

★

La ropa de nuestra época, por ejemplo, son unos vaqueros. No surgieron de una moda pasajera, no fueron creados por un diseñador para una temporada, son algo duradero. Igual que los pantalones, los jerséis. He hecho ropa vaquera, pero nunca alcanzaré la perfección del original.

★

Después de los vaqueros, no hay otro sitio a donde ir. Ninguno. Son la unión perfecta entre una prenda y una época. Esa armonía es muy importante.

★

Antes era esclavo de la tradición. Ahora, al dar a las mujeres la posibilidad de ser como adolescentes con unos vaqueros, les doy la ilusión de la juventud. He conseguido liberarlas dándoles una nueva perspectiva. Una nueva forma de combinar las cosas.

Me encantaría
inventar algo
que viniese
después de
los vaqueros.

Tiene
que haber
algo.

No todas las

mujeres

pueden llevar

pantalones

pero tampoco
todas las

mujeres

pueden llevar
todos los

vestidos.

*Una mujer con pantalones solo es seductora
si los lleva con toda su feminidad. No como
George Sand. Los pantalones son una especie de
coqueteo, un encanto añadido, no un símbolo
de igualdad, de emancipación, etcétera. La
libertad y la igualdad no se consiguen llevando
pantalones, son un estado de ánimo.*

*Cuando introduje los pantalones, causó revuelo
en Estados Unidos.*

*Creo que si un día hubiese que elegir una
sola imagen para representar a la mujer de
la década de 1970, tendría que ser una mujer
con pantalones.*

En una ocasión vi una fotografía de Marlene Dietrich con un traje masculino y me impresionó mucho. Una mujer que viste como un hombre, ya sea con un esmoquin, una americana o un uniforme azul marino, debe ser terriblemente femenina para llevar ropa que no está diseñada para ella.

Una mujer con un traje pantalón está muy lejos de ser masculina. El corte austero y sin concesiones permite que su feminidad, su seducción, su ambigüedad, brillen con más fuerza. Evoca el cuerpo de una adolescente, es decir, se inscribe en ese poderoso movimiento que revierte la tradición y conduce inevitablemente a la uniformidad y la igualdad de los sexos. Esta mujer andrógina, cuya vestimenta la iguala a un hombre, sacude la imagen tradicional, clásica y anticuada, de la feminidad.

Desde 1966, cuando lancé la primera chaqueta de esmoquin de mi colección, la idea de una mujer con un traje de hombre no ha hecho más que fortalecerse, intensificarse y establecerse como emblema de la mujer moderna.

Si tuviese que elegir

una prenda

entre todas las que he diseñado,
sin duda sería la chaqueta de

esmoquin.

Es
casi el

sello

de fábrica de Yves Saint Laurent.

Para una mujer, el
ESMOQUIN
es una prenda esencial
que siempre la hará
sentirse a la moda,
porque se trata de estilo
y no de tendencias.
Las tendencias cambian.
El estilo es eterno.

La moda de la calle cambia a mayor velocidad que el mundo de la alta costura. Me di cuenta hace cinco años, cuando lancé mi primera chaqueta de esmoquin. En el mundo de la alta costura fue un fracaso, pero en el mundo del prêt-à-porter *tuvo un éxito increíble.*

El esmoquin, que popularicé en 1968 y reformulé en 1981, y que siempre ha sido importante para mí, es una prenda que durará para siempre.

Me gusta el lujo solo cuando se reduce a la mínima expresión. Una joven con esmoquin negro. Un vestido largo de punto negro en medio de una multitud de bordados y lentejuelas. La gente siempre va demasiado arreglada.

Christian D.
Gabrielle C.
Cristóbal B.
Hubert de G.
Elsa S.

LOS DISEÑADORES SEGÚN YSL

SEGÚN

YSL

Trabajar para Christian Dior fue para mí como un milagro. Sentía una admiración infinita por él [...] Me enseñó las raíces de mi arte. Le debo una parte muy importante de mi vida y, con independencia de lo que pasó después, nunca he olvidado los años que pasé a su lado.

Dior es como un hermoso cuadro que se cuelga en la pared... Dior es la ornamentación, el esplendor, la construcción [...] la construcción barroca.

Me enseñó todo lo que necesitaba saber. Más tarde llegaron otras influencias y, como él me había dado esta base, se sumaron a ella [...] y encontraron un maravilloso terreno fértil, ya sembrado con las semillas que me permitirían encontrar mi voz, ganar confianza, desplegar mis alas e insuflar por fin vida a un universo de mi propia creación.

Nunca me atreví
a llamarle

Christian.

Siempre fue

*Monsieur
Dior*.

Me siento muy halagado de que

Mademoiselle Chanel

se dignase a interesarse por lo que hago y me nombrase su heredero, pero no estoy en absoluto de acuerdo con su afirmación de que la he copiado. En primer lugar, si la copiase, yo no tendría el menor éxito.

En lugar de diseñar atuendos que atrapaban a las mujeres en tendencias efímeras y llenas de tópicos, Chanel siempre buscó crear una moda que perdurase, que fuese atemporal. Cuando me di cuenta de eso, me ayudó a deshacerme de ciertos malos hábitos como diseñador, y empecé a apoyarme menos en los bocetos y a fijarme más en el cuerpo y en el tejido.

★

La gran diferencia entre Mademoiselle Chanel y yo es que intento diseñar vestidos que las mujeres puedan impregnar de su propio estilo, para que puedan mostrar su propia personalidad. Una mujer que lleva un Chanel parece Mademoiselle Chanel. Existe otra gran diferencia entre nosotros, y es que me encanta la época en la que vivo; me encantan las discotecas, aunque no voy a menudo; me encanta la música pop que ella llama «yeyé», me encantan las tiendas de ropa, me encanta todo lo que define nuestra época, y todo ello influye enormemente en lo que hago.

Existen dos tipos de diseñadores a los que no soporto: en primer lugar, los que juegan a ser alquimistas, se esconden en su laboratorio con una bata blanca e invocan a Le Corbusier antes de diseñar la más mínima baratija. Esos diseñadores son muy poco sofisticados. En segundo lugar, el tipo de diseñador que quiere crear un aire de misterio, al que nunca vemos y que nunca ve nada, que está desconectado de su tiempo. Ambos se equivocan.

Creo que existen tres tipos de diseñadores. Están los grandes diseñadores, los verdaderos diseñadores, los que saben cómo deleitar a una mujer haciendo un vestido muy sencillo, o un traje muy sencillo [...] Después están los que yo llamo «modistas», los trabajadores incansables que se ganan la vida honradamente. Son muy aburridos, muy burgueses. Y luego están los autoproclamados inconformistas, el tipo de gente que siempre está presumiendo, que necesita escuchar música todo el tiempo, que lleva orejas de Mickey Mouse y engalana a las mujeres con chatarra y cuero [...] el tipo de cosas que no entiendo, que no tienen ningún sentido para mí.

YO

O

HAGO

ROPA,

no disfraces.

Existen muy pocos
grandes diseñadores,
muy pocos

DISEÑADORES
BRILLANTES

[...] Muy, muy pocos.
Para ser preciso,
diría que ha habido dos,
solo dos:

GIVENCHY
Y
YO.

El resto, los otros,
son una chusma, son terribles.
Eso es precisamente la «moda».
Un vacío.

Karl Lagerfeld hizo un buen trabajo con Chanel. En cuanto a los demás, no me gustan.

★

Me había quedado estancado en las ideas tradicionales sobre la elegancia, y Courrèges me sacó de ahí. Su colección despertó algo en mí. Pensé: «Puedo hacerlo mejor».

★

Mi objetivo no era medirme con los maestros modistas, sino acercarme a ellos y aprender de su genialidad.

★

Admito sin problemas que no admiro demasiado a mis colegas diseñadores de alta costura. Todos a los que yo admiraba están muertos.

Quisiera rendir homenaje a quienes guiaron mis pasos y me sirvieron de ejemplo. En primer lugar, a Christian Dior, que fue mi maestro y la primera persona que me reveló los secretos y los misterios de la alta costura. A Balenciaga, Schiaparelli. A Chanel, por supuesto, que tanto me enseñó y que, como sabemos, liberó a las mujeres. Eso me allanó el camino para empoderarlas, años más tarde, y en cierta manera liberar a la moda.

★

¡Chanel entendía a las mujeres! Comprendió la época en la que vivió y creó a la mujer de su tiempo, y en parte por eso dijo que yo era su único heredero de verdad. Cuando murió, tuve mucho más éxito porque mi estilo empezó a florecer.

★

Balenciaga era todo estilo, atrevimiento, su trabajo era muy provocativo y sensual. Dior era un hombre extraordinario y mostró una cierta audacia.

★

Lo que más echo de menos es no tener gigantes a los que combatir. Frente a Givenchy, Balenciaga, Chanel, tuve que subir el listón.

*Soy el único que
queda después de
42 años. El único
que sigue aquí, que
sigue trabajando.
El último modista.
La última casa
de moda.*

MARCEL PROUST SEGÚN YSL

Marcel Proust [...] su obra impregna cada parte de mi vida.

Crear algo es doloroso, sufro todo el año mientras trabajo. Me encierro como un ermitaño, no salgo, es una vida dura y por eso entiendo tan bien a Proust, por eso admiro tanto lo que escribió sobre el dolor de crear. Recuerdo una frase de A la sombra de las muchachas en flor*: «¿En las profundidades de qué dolor había encontrado aquel poder ilimitado para crear?». Y podría mencionar otras citas maravillosas sobre este mismo sufrimiento, citas que he copiado y enmarcado y puesto encima de mi escritorio en la avenida Marceau.*

★

Estaba completamente consumido por su obra, sufrió mucho y sacrificó su vida para que su obra fuese lo más perfecta y sorprendente posible.

★

Creo que podría haber sido su amigo, pero era una persona muy difícil [...] Puede que no me hubiese querido como amigo.

RESPUESTAS DE YVES SAINT LAURENT
AL CUESTIONARIO DE PROUST (1968):

¿Cuál es su principal rasgo de personalidad?
La fuerza de voluntad.

¿Su mayor defecto?
La timidez.

¿Su cualidad favorita en un hombre?
La tolerancia.

¿Y en una mujer?
La indulgencia.

¿Su personaje histórico favorito?
Mademoiselle Chanel.

¿Sus héroes en la vida real?
Las personas a las que admiro.

¿Qué le hubiera gustado ser?
Un beatnik.

¿Cuál es su idea de la felicidad terrenal?
Acostarme con la gente que me gusta.

¿Y de las profundidades de la tristeza?
La soledad.

¿Dónde le gustaría vivir?
En algún lugar soleado, junto al mar.

¿Qué don le gustaría tener?
La fuerza física.

¿Qué defecto le resulta más fácil perdonar?
La traición.

¿Quién es su artista favorito?
Picasso.

¿Su músico favorito?
**Bach… y los músicos del siglo XIX,
los compositores de ópera.**

¿Y qué autores le gustan, aparte de Proust?
**Me gusta tanto Proust que me resulta
difícil dejar espacio para otros escritores.
Pero también me encantan Céline
y Aragón.**

¿Cuál es su color favorito?
El negro.

¿Qué es lo que más odia?
El esnobismo de los ricos.

¿Tiene un lema?
**Yo diría que el lema de Noailles:
«Más honor en singular que honores
en plural».**

De todos los escritores, Proust es el que escribió sobre las mujeres con la mayor sensibilidad y verdad. Lo que más me impresiona de la obra de Proust no es la habilidad con la que describía los vestidos, sino cómo dibujaba a los personajes.

Me encantan las mujeres y su belleza. Me gustaría conseguir que fuesen todavía más bellas, que brillasen aún más. Como Marcel Proust, a quien adoro: nadie ha descrito nunca a las mujeres tan maravillosamente como él.

Me gusta toda

LA OBRA
DE PROUST,

*pero lo que me parece especialmente
interesante son las «veladas
en casa de Madame Verdurin»,
porque me gusta cómo destaca
Proust los detalles más pequeños
para describir la escena,
cómo recrea toda una atmósfera
perdida. La forma en que
una persona apoya el codo
en la mesa, cómo sostiene su
taza [...] el ambiente más que
la psicología de los personajes.*

Leo a Proust una y otra vez [...]
Nunca me canso de él. Tomo a Proust
y, en cierto modo, obtengo una especie
de respuesta a mis preocupaciones
y a mis preguntas.

En búsqueda... Nunca quiero terminarlo. Vuelvo atrás y empiezo a leerlo de nuevo desde la mitad. Creo que cuando por fin lo termine, algo en mi interior se romperá. Sigo esperando. Y, sin embargo, estoy muy tentado. Puede que sea un poco supersticioso.

A los 18 años empecé a leer En busca del tiempo perdido. *Retomo el libro a menudo, pero nunca lo termino. Necesito tener pendiente esta obra extraordinaria. Tengo una especie de creencia supersticiosa de que si acabo de leerlo, ocurrirá algo, y nada bueno. Quizá me muera, ¿quién sabe?*

YSL
SEGÚN
YSL
(2)

Lo que siempre persigo, incluso inconscientemente, es mi obra, y sé que para crearla necesito aislarme, concentrarme en silencio. También sé que no se llega a ser una leyenda sin producir una obra, y como dije cuando todavía era muy joven, quiero convertirme en una leyenda.

Cuando estaba en Dior, me llamaban «el heredero». La prensa me bautizó como «el Principito». Mi padre me llamaba «mi rey». Ahora me consideran una figura mítica. Esas coronas a veces me resultan muy pesadas.

No se puede robar el éxito. Como mucho, uno puede merecerlo o defraudar a sus admiradores.

Me quiero un poco para agradar mucho a los demás. Es muy importante agradar. Todo el mundo quiere eso.

Tengo mucho amor dentro de mí y recibo mucho amor a cambio.

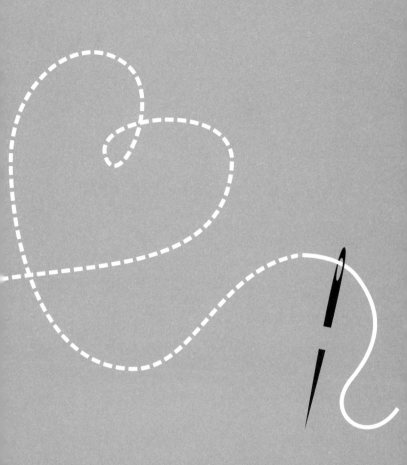

El corazón
es el hilo conductor
de toda mi vida.

Dentro de cien años,
me gustaría que la gente
estudiase mis vestidos,
mis bocetos.

*No soy consciente de ser una leyenda y todavía
me sorprendo cuando la gente me reconoce
por la calle.*

★

*Por suerte, existe un tipo de sufrimiento
destructivo que nunca he conocido, el que
proviene de la falta de reconocimiento.*

★

*Es increíble, pero gusto mucho a los jóvenes,
soy muy popular entre los jóvenes, incluso
muy jóvenes, y creo que es porque siempre me
he aferrado a la parte infantil y juvenil de mí,
y eso significa que soy como ellos.*

*No dibujo muy bien, no soy muy expresivo.
Me habría gustado ser pintor [...] ¡pero hay
tantas cosas que me habría gustado ser!*

*Me habría gustado ser escritor. Hubo un tiempo
en que escribía mucho. Después lo dejé porque
no era posible hacer las dos cosas a la vez,
escribir y continuar con esta profesión aterradora
que me paraliza la mayor parte del año.
Mi mente está llena de vestidos.*

*Intentaba decidirme entre el teatro y la moda.
Conocer a Christian Dior fue lo que me empujó
hacia la moda.*

*Fui mimado por el destino. He hecho
exactamente, precisamente, lo que quería hacer.*

Si no hubiese
sido diseñador,
sin duda
me habría
dedicado
al teatro.

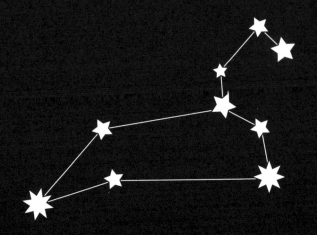

¿El futuro?

Nunca pienso en ello.
Sé que tengo un futuro.
Me está esperando en alguna
parte, iré a su encuentro.
Eso es todo.

*¿Si me arrepiento de algo? No, no me arrepiento
de nada [...] Salvo de lamentar que el tiempo
pase, que las cosas desaparezcan y no vuelvan.*

★

*He pasado 40 años intentando encontrarme
a mí mismo, y a veces siento que continúo
buscando.*

★

*He sufrido muchos episodios de depresión a lo
largo de los años, pero siempre he conseguido
superarlos. Hay una fuerza en mí, una
determinación feroz, que me empuja hacia
la esperanza y la luz. Soy un luchador
y un ganador.*

★

*Cuando miro atrás, recuerdo mi juventud, mis
noches de juerga, mis fiestas locas. Y sonrío.*

★

*No tengo miedo a la muerte. Sé que la muerte
puede llegar en cualquier momento, pero
aunque sea extraño, y probablemente egoísta,
no siento que vaya a destruir mi vida.*

He vivido muchas angustias, muchos infiernos. He conocido el miedo y una soledad terrible. Los sedantes y los tranquilizantes, esos falsos amigos. Las celdas de la depresión y los psiquiátricos. Y un día salí de todo eso, aturdido pero sobrio.

Marcel Proust me enseñó que «la magnífica y lamentable familia de los neuróticos es la sal de la tierra». Sin darme cuenta, formaba parte de esta familia. Es mi familia. No elegí este linaje destructivo, pero es lo que me ha permitido alcanzar las cumbres de la creatividad, codearme con los ladrones de fuego, como los llama Rimbaud; encontrarme a mí mismo. Así es como me he dado cuenta de que el encuentro más importante de nuestras vidas es el que tenemos con nosotros mismos. Los paraísos más bellos son los que hemos perdido.

No os olvidaré.

Yves Saint Laurent

Discurso de despedida, 7 de enero de 2002

FUENTES

DIARIOS, REVISTAS
Y PUBLICACIONES PERIÓDICAS

Air France Madame, Arts, Candide, Dépêche Mode, Dutch, Elle, L'Express, Le Figaro, Focus, Gala, Glamour, Globe, L'Insensé, Interview, The Japan Times, Jardin des Modes, Life Magazine, Madame Figaro, Marie Claire, Men's Wear, Le Monde, New York Magazine, Le Nouvel Observateur, The Observer, Paris-Match, Le Point, Point de Vue, Saga, Tatler, Témoignage Chrétien, Vogue Magazine US, Vogue Magazine Paris, Women's Wear Daily, 20 ans.

★

LIBROS

Histoire de la Photographie de mode (Nancy Hall-Duncan, Éditions du Chêne, 1978) • *Yves Saint Laurent et le Théâtre* (Éditions Herscher – Musées des arts décoratifs, 1982) • *YSL par YSL* (Éditions Herscher – Musée des arts de la mode, 1986) • *Histoire technique et morale du vêtement* (Maguelonne Toussaint-Samat, Bordas, 1990; traducción al castellano: *Historia técnica y moral del vestido*, Madrid, Alianza, 1994) • *Yves Saint Laurent* (Laurence Benaïm, Grasset, 2002–2018) • *Yves Saint Laurent, 5 avenue Marceau 75116 Paris* (David Teboul, Éditions de La Martinière, 2002) • Catálogo de la exposición *Yves Saint Laurent, Dialogue avec l'art* (Fundación Pierre Bergé – Yves Saint Laurent, 2004) • *Yves Saint Laurent Style* (Éditions de La Martinière, 2008) • Catálogo de la exposición *Yves Saint Laurent au Petit Palais* (Florence Müller, Farid Chenoune, Fundación Pierre Bergé – Yves Saint Laurent, Éditions de La Martinière, 2010) • Catálogo de la exposición *L'Asie rêvée d'Yves Saint Laurent* (Musée Yves Saint Laurent, Éditions Gallimard, 2018).

★

TELEVISIÓN

Programa *DIM DAM DOM*, informativos de
ORTF, Fuji TV, Archivos de INA.

★

DOCUMENTALES

Yves Saint-Laurent, le temps retrouvé y 5, avenue Marceau, 75116 Paris, de David Teboul.

★

DISCURSO DE DESPEDIDA de Yves Saint Laurent, 7 de enero de 2002.

ARCHIVOS DEL Musée Yves Saint Laurent París.

★

AUTORES

Escritor, editor y periodista, Patric Mauriès ha publicado numerosos libros, relatos y ensayos sobre arte, literatura, moda y artes decorativas. Ha devuelto el protagonismo a diseñadores como Piero Fornasetti, René Gruau o Line Vautrin, y ha dedicado varios libros a figuras tan diversas como Jean-Paul Goude, Christian Lacroix o Karl Lagerfeld.

Jean-Christophe Napias es escritor y editor, autor de numerosos libros sobre París. En 2009 creó su editorial, l'éditeur *singulier*.